De voorstelling

Selma Noort
tekeningen van Camila Fialkowski

Meer dan honderd gulden

'Mam, weet je,' zegt Nils.
'Het is echt heel mooi.
Er zitten ridders bij.'
'Waarbij?' vraagt mam.
'Bij het legokasteel natuurlijk.'
'Het legokasteel?' vraagt mam.
Ze ligt met haar hoofd onder de kleine tafel.
Met een sponsje boent ze het stopcontact.
'Het staat in de etalage van de speelgoedwinkel,'
zegt Nils.
'En Jan heeft er een folder van.'
'O,' zegt mam.
Verder niets.
'Ik wil het echt ontzettend graag.
Mag het, mam?
Wil je het legokasteel voor me kopen?'
'Nee.'
'Ja, maar...'
'Nils, je gaat toch niet zeuren, alsjeblieft?'
Mam wil overeind gaan zitten.
Ze stoot haar hoofd tegen de rand van de tafel.
Haar gezicht was al rood, maar nu wordt het nog
roder.
Ze zegt een erg lelijk woord.
'Aah! Dat mag je niet zeggen,' zegt Nils.
Mam wrijft hard over haar hoofd.

'Ik krijg vast een bult,' jammert ze.

'Zal ik er een kus op geven?' biedt Nils aan.

Mam buigt haar hoofd naar Nils.

Hij geeft een klapzoen op haar haren.

'Dek jij de tafel even,' zegt mam.

Ze staat op en loopt met het sponsje naar de keuken.

'Nou, hoor mam!'

Nils stampvoet.

Mam kijkt om.

Ze schiet in de lach.

'Zo ben je precies je vader als die zijn zin niet krijgt.'

Nils zegt maar niets meer over het legokasteel.

Hij dekt als een braaf jongetje de tafel en denkt na.

Zo'n legokasteel is akelig duur, dat weet hij.

Wel meer dan honderd gulden.

Hij had niet gedacht dat hij het zomaar zou krijgen.

Maar hij moest het toch proberen.

Wie niet waagt, wie niet wint, zegt mam zelf altijd.

Als hij aan het legokasteel denkt, krijgt hij kriebels in zijn buik.

Het is ook zo leuk.

Met ridders en vlaggen, torens en hekken.

Je kunt het wel op tien verschillende manieren in elkaar zetten.

Het zou op zijn lage kastje kunnen staan.

Dan kon hij er met Jan mee spelen.

Jan is Nils' beste vriend.

Ze spelen samen soms urenlang met lego.
Dan vergeten ze waar ze zijn en hoe laat het is.
Dat ze naar judo moeten of dat ze nog naar de
bakker zouden gaan.
Dat Nils nog moet blokfluiten en dat Jan om vijf uur
thuis zou zijn.
Soms komt Jan bij Nils logeren.
Dan doen ze 's nachts stiekem het licht aan.
En spelen ze verder en verder.
Nils' vader heeft hen wel eens midden in de nacht
betrapt.
Slapend hingen ze allebei over Nils' kist met lego.
Nils' vader werd gelukkig niet kwaad.
Hij moest er vreselijk om lachen.
Nils vraagt altijd lego voor zijn verjaardag.
En ook aan Sinterklaas.
Alleen heel soms wil hij een kleurdoos.
Of een worst van marsepein.

'Eten!' schreeuwt Nils.
De tafel is gedekt.
Hij schenkt alvast melk in de glazen.
Op de trap klinkt luid geklos.
Dat zijn Emma en Gittie, zijn tweelingzussen van
twaalf.
Mam komt binnen uit de keuken.
Ze heeft Noah op haar arm.
Noah is tien jaar, hij is klein en mager.

Hij kan niet lopen, daarom draagt mam hem.
Emma, Gittie en Nils zijn eraan gewend.
Ze tillen Noah zelf ook wel eens.
Als mam rugpijn heeft en niet meer kan.
Dan tillen zij hem in zijn rolstoel.
Of in de hoge tafelstoel.
Maar vandaag heeft mam geen last van haar rug.
Ze zet Noah in de tafelstoel en maakt zijn tuig vast.
Noah moet vastgezet worden met riemen,
anders valt hij.
Hij vindt dat niet erg.
Het is ook geen lolletje om op de keukentegels te
vallen.
Emma en Gittie praten druk door elkaar.
Vanmiddag gaan ze iets geks doen op school.
Zoveel begrijpt Nils ervan.
Mam smeert brood.
Ze likt smeerkaas van haar hand en voert Noah.
Zo nu en dan geeft Noah een schreeuw.
Daar letten ze al lang niet meer op.
Ze hoeven niet te zeggen: hou jij eens op met
schreeuwen.
Want hij doet het niet expres.
Nils zet wel zijn melk een eindje verderop.
Noah zwaait vandaag zo met zijn armen.
Mam kijkt Nils aan.
'Wat ben je stil,' zegt ze.
'Ik denk na,' zegt Nils.

'Waarover?' vraagt mam.

'Hoe ik meer dan honderd gulden kan verdienen,' zegt Nils.

Gittie en Emma houden meteen op met praten.

Ze kijken Nils aan met open monden vol brood.

Hoe je meer dan honderd gulden kunt verdienen?

Nou, dat willen ze ook wel eens weten!

Een geweldig idee

De hele middag heeft het geregend.
Maar als de school uitgaat, is het droog.
Er staat een harde wind.
Het water in de plassen op de stoepen rimpelt.
Nils loopt naast Jan het schoolplein af.
'Kom je bij mij met de lego spelen?' vraagt hij.
Jan springt over een grote plas.
'Laten we even bij de speelgoedwinkel gaan kijken,'
stelt hij voor.
'Zaterdag stond het kasteel nog in de etalage.
Als we hard lopen, zijn we maar tien minuten weg.'
'Goed!' roept Nils.
Hij rent al.
Jan sprint achter hem aan.
Ze moeten een drukke weg oversteken.
Ongeduldig wachten ze voor het stoplicht.
Het is druk in de winkelstraat.
Midden op straat staat een grote groep mensen.
'Doorlopen,' zegt Nils zacht.
Ze durven niet echt te duwen.
En ook niet hard te schreeuwen.
De mensen staan te lachen; ze letten niet op.
Ze merken niet dat er niemand langs kan.
'Waar kijken ze naar?' vraagt Jan.
Nils bukt en wurmt zich langs een vrouw met een
volle tas.

Hij kan nu precies tussen twee mannen door kijken.
Hij ziet een man in een clownspak die doodstil staat.
Hij lijkt wel een standbeeld.

Daarachter staat een clown die beweegt voor twee.
Hij jongleert met drie kegels en kletst over van alles
en nog wat.
Zo nu en dan doet hij alsof hij een kegel laat vallen.
Dan gilt hij het uit.
Flappend rent hij heen en weer op zijn grote
clownsschoenen.
Jan is naast Nils komen staan.
'Clowns,' zegt hij.
Ze kijken.
Ze vergeten de tijd.
Als de voorstelling is afgelopen, komt het standbeeld
plotseling in beweging.
Hij rukt zijn clownshoed van zijn hoofd en gaat
ermee rond.
Bijna iedereen geeft wat.
'Dankuwel! Dankuwel!' roepen de clowns.
Ze schudden wild de handen van de mannen en
vrouwen.
En ze trekken zachtjes aan de neuzen van de kleinste
kinderen.
Ze komen ook bij Jan en Nils langs.
Die staan gelukkig achteraan.
Want ze hebben geen geld om te geven.
Langzaam lopen de mensen weer door.
Nils en Jan weten ineens weer waar ze voor waren
gekomen.
Ze rennen het laatste stuk naar de speelgoedwinkel.

Er staat een grote bak vol ballen buiten.
En in de etalage staan poppen in allerlei maten.
Jan rent om de bak met ballen heen.
'Hier stond het kasteel!' roept hij.
Kwaad kijkt hij naar de poppen.
'Misschien aan de andere kant,' zegt Nils.
Maar in de etalage aan de andere kant van de deur
hangen verkleedkleren.
'Het stond er echt nog,' zegt Jan teleurgesteld.
'Kom, we gaan naar huis,' zegt Nils.
'Anders wordt mam ongerust.
En ze moet nog boodschappen doen.
Ik heb beloofd om dan even bij Noah te blijven.
Kom je nog met de lego spelen?'
Jan schudt zijn hoofd.
'Ik moet om half vijf naar judo.'
Ze rennen terug naar de drukke weg.
Het stoplicht staat op groen.
Aan de overkant moeten ze allebei een andere kant op.
Mam heeft niet gemerkt dat Nils laat is.
'Neem maar wat te drinken, lieverd,' zegt ze.
Ze zit aan de keukentafel een brief te schrijven.
Ze kijkt niet op.
Nils schenkt limonade in voor zichzelf.
Hij loopt ermee naar de huiskamer.
Noah zit in zijn rolstoel voor de tv en kijkt naar een
tekenfilm.
Nils loopt terug naar de keuken.

Hij schenkt ook limonade in Noah's beker met het rietje door de tuit.

'Hier Noah, drinken,' zegt hij.

Hij trekt een stoel naast Noah's rolstoel en houdt de beker vast.

Noah drinkt iedere keer een paar slokjes door het rietje.

'Ik heb clowns gezien, Noah,' zegt Nils.

Noah draait zijn hoofd naar Nils en geeft een schreeuw.

Nils komt overeind van zijn stoel.

Hij doet een standbeeld na.

En daarna jongleert hij voor Noah met twee sinaasappels.

Noah vindt het niet erg dat ze een paar keer vallen.

Zo te zien vindt hij het een prachtige voorstelling.

Hij schreeuwt en zwaait met zijn armen.

En als Nils bij hem komt staan, duwt hij zijn gezicht tegen Nils' buik.

Nils trommelt hem zacht op zijn rug.

En terwijl hij daar zo staat, krijgt hij een geweldig idee.

Misschien verdient hij er geen honderd gulden mee, maar toch.

Het is het proberen waard.

'Jij wilt vast wel eens een echte voorstelling zien, Noah...' zegt hij zacht.

Een fiets met één wiel

'Maar dan delen we het geld eerlijk,' zegt Gittie.
'Ja, want ik wil nieuwe stiften kopen!' roept Emma.
'Oorbellen,' zucht Gittie.
'Je mag toch geen gaatjes van mam!'
Gittie geeft Emma een duw.
Nils klimt op Emma's bed.
'Maar we moeten nog bedenken wat we dan precies
gaan doen,' zegt hij.
'En we moeten oefenen!'
'Ik weet al wat ik ga doen!'
'Ik leen die fiets met één wiel van Karel van der
Berg,' schreeuwt Emma.
'Alleen maar omdat je verliefd op hem bent,' zegt
Gittie.
'Hou nou even je mond,' zegt Nils tegen Gittie.
'Denk je dat je die fiets echt mag lenen, Emma?'
Emma knikt.
'Ik denk het wel.
Karel is altijd vreselijk aardig tegen me.'
Ze steekt haar tong uit naar Gittie.
'En wat ga jij doen, Gittie?' vraagt Nils haastig.
'Ik kan kunstjes doen op mijn skeelers,' zegt Gittie.
Ze aarzelt.
'En ik zou mijn diabolo kunnen meenemen.'
'Misschien kun je skeeleren en met je diabolo
tegelijk!' zegt Nils enthousiast.

'Daar geven de mensen vast wel geld voor.'

'Dan moet er muziek bij,' zegt Emma.

'Dan is het echt mooi, net als kunstschaatsen!

Ik op de fiets en Gittie op de skeelers.

Misschien kunnen we om elkaar heen cirkelen en zo.'

De twee zussen kijken elkaar aan.

Dan kijken ze naar Nils.

'En jij?

Wat ga jij eigenlijk doen?' vragen ze.

'En wie doet er nog meer mee?'

'Met Nils, mag ik Jan even aan de telefoon?'

'Jaaaaa-han!' schreeuwt Jans zusje.

Ze gooit de telefoon neer.

Nils wacht en wacht.

Dan komt plotseling Jans vader aan de telefoon.

'Familie De Jonge?' zegt hij vragend.

'Dag, met Nils,' zegt Nils.

'Ik moet even iets aan Jan vragen.'

'Jan staat onder de douche,' zegt Jans vader.

'Kan het niet tot morgen wachten?'

'Het is erg belangrijk,' zegt Nils gauw.

'Ik vraag wel of hij je straks even terugbelt,' zegt Jans vader.

'Ja, goed,' zegt Nils.

'Dag Nils,' zegt Jans vader.

Dat schiet niet op.

Nils gaat terug naar zijn kamer.
Hij klimt op zijn hoge bed.
Met zijn voeten tegen het plafond gaat hij liggen.
Wat kan hij nou doen wat knap is?
Iets waar mensen geld voor willen geven?
Emma en Gittie wisten meteen van alles.
Maar die kunnen ook zoveel.
Als hij eerst maar eens wist of Jan ook meedoet.
Dan zou hij misschien iets samen kunnen doen met
Jan.
Dat is ook minder eng.
Nils zucht.
Hij klimt weer van zijn bed af en pakt twee
legosteentjes.
Hij probeert ermee te jongleren.
Met twee steentjes gaat het wel een beetje.
Maar met drie steentjes helemaal niet.
En met twee steentjes is niet bijzonder.
Daar heeft niemand een cent voor over.
Mam steekt haar hoofd om de hoek van de deur.
'Heb je je pyjama al aan, treuzelkont?
Schiet eens op, het is al lang bedtijd!
En wat hoor ik toch de hele tijd vallen?'
'Legosteentjes,' zegt Nils.
'Ik probeer ermee te jongleren.'
'Je moet er niet mee jongleren,' zegt mam.
'Je moet ermee bouwen.
Daar zijn ze voor gemaakt.'

Ze gaat terug naar de gang.
'Emma! Gittie?' roept ze.
'Aan jullie huiswerk!'
Er komt geen antwoord.
'Waar zijn die meiden toch?' vraagt mam.
'Bij Karel van der Berg,' roept Nils.
'Karel van der Berg?' herhaalt mam.
'Ze willen zijn fiets lenen,' zegt Nils.

Zingen, dansen of vuurspuwen

Het is stil in huis.
Noah ligt al in bed.
En Nils' vader is nog niet thuis van zijn werk.
Mam leest Nils extra lang voor.
Ze ligt lekker languit naast hem op zijn bed.
Ze heeft geen zin om de keuken op te ruimen.
Pas als ze een heel hoofdstuk heeft gelezen, slaat ze
het boek dicht.
'Spannend!' zegt Nils.
'Weet jij al hoe het verdergaat?'
'Niet precies meer,' zegt mam.
'Ik heb het gelezen toen ik net zo oud was als jij.
Het loopt slecht af, dat weet ik nog wel.'
Ze stoot Nils plagend aan.
'Niet! Het loopt goed af!' zegt Nils.
Mam geeuwt en rekt zich uit.
'Ik ga koffiezetten.'
Ze klimt uit Nils' bed en geeft hem een kus.
'Welterusten, tot morgen.'
'Welterusten,' zegt Nils.
Mam legt het boek op zijn tafel en gaat naar
beneden.
Nils hoort zijn zussen thuiskomen.
Het journaal is op tv.
De telefoon gaat.
Hij sliep al bijna, maar plotseling is hij weer

klaarwakker.

Misschien is dat Jan die hem terugbelt.

Hij klimt uit bed en loopt naar zijn deur.

'Hij ligt al in bed, Jan,' hoort hij zijn moeder zeggen.

'Vraag het hem morgen maar.'

Ze hangt op.

Nils klimt snel terug in bed.

Hij hoort de sleutel in het slot.

De voetstappen van pap in de gang.

'Slapen de jongens al?'

'Misschien nog net niet,' zegt mam.

Pap roffelt de trap op.

Nils' deur kiert open.

'Nils?' fluistert pap.

Nils gaat overeind zitten.

'Ik ben nog wakker!'

Pap loopt naar het bed.

Hij geeft Nils twee dikke zoenen.

En hij port hem tussen zijn ribben.

'Hoe was het op school, vandaag?' vraagt pap.

'Goed,' lacht Nils.

'Weet jij een kunst, pap?

Hou nou op met prikken!

Weet jij een moeilijk kunstje waar mensen op straat
geld voor betalen?'

'Op je kop staan?' zegt pap.

'Trompetspelen?

Zingen, dansen of vuurspuwen?

Bedoel je zoiets?'
'Zoiets, ja.'
Nils zucht diep.
Pap prikt hem voor de laatste keer tussen zijn ribben.
'Welterusten,' zegt hij.
'Ik ga nog even naar Noah.'
Nils hoort hem in Noahs kamer.
Zijn stem klinkt gedempt door de muur.
Hij zingt liedjes voor Noah.
Gekke liedjes.
Dat doet hij iedere avond.
Nou, trompetspelen kan Nils in ieder geval niet.
Dansen, daar begint hij niet aan.
En vuurspuwen zal hij maar helemaal niet proberen.
Er blijft niet veel over.
Geven mensen geld aan iemand die op zijn kop staat
en een liedje zingt?

Jan doet ook mee

'Je zag het zelf, iedereen gaf geld!' zegt Nils de
volgende dag op school.
'Daarom belde ik je op.
Doe je mee?'
Hij staat met Jan in het halletje van de wc's.
Het is speelkwartier.
'Ik weet het niet,' aarzelt Jan.
'Wat ga jij dan doen?'
'Op mijn kop staan en dan liedjes zingen,' zegt Nils.
Hij krijgt een kleur.
Jan begint te lachen.
'Laat eens zien,' zegt hij.
'Ik kan het heus wel, hoor,' zegt Nils.
Jan begint harder te lachen.
Hij klapt dubbel en houdt zijn buik vast.
Hij stelt zich vreselijk aan.
Nils ergert zich dood.
'Ik moet alleen nog even oefenen,' zegt hij.
'Hou op met lachen, stommerd!'
Jan lacht iets minder hard.
'Begin hier maar met oefenen,' zegt hij.
'Hier, tegen de muur!
Ik vang je wel op als je valt, echt waar.'
Nils luistert scherp.
Hij hoort niemand op de gang.
'Opzij!' zegt hij tegen Jan.

Hij maakt een handstand tegen de muur.

Precies zoals hij dat van Emma heeft geleerd.

En langzaam laat hij zich naar beneden zakken tot hij op zijn kop staat.

De koude vloertegels doen zeer aan zijn hoofd.

'Er moet dan wel een kussentje onder mijn hoofd,' zegt hij.

Zijn stem klinkt gesmoord.

'Je krijgt een rooie kop, hoor,' zegt Jan.

Hij begint weer te lachen.

'En zing nou eens een liedje!'

'Driemaal drie is ne-hegen,' zingt Nils.

Hij moet zelf ook lachen.

Lachen en op je kop staan tegelijk is erg moeilijk.

En dan nog erbij zingen, dat gaat helemaal niet.

Plotseling vliegt de deur open.

Meester Bernhard staat in de deuropening.

Stomverbaasd kijkt hij naar Nils.

'Maar Nils, wat doe jij nou?' vraagt hij.

'Ga eens gauw weer op je benen staan!'

Van schrik zakt Nils scheef tegen de muur.

Jan grijpt hem vast aan zijn enkel.

Maar dat helpt niet echt.

Geknakt komt Nils onder de wastafel te liggen.

Hij krabbelt overeind.

Zijn wangen gloeien.

Van de zenuwen krijgt hij de slappe lach.

'Wat zijn jullie hier nou raar aan het doen?' vraagt

meester Bernhard.

Hij kijkt onderzoekend van Nils naar Jan.

'Hij wou het alleen maar even aan me laten zien,
meester,' zegt Jan.

'Wat?' vraagt meester Bernhard.

'Nou, dat hij op zijn kop een liedje kan zingen,'
zegt Jan.

'Het is goed, ik doe mee,' zegt Jan als de school
uitgaat.

'En afgesproken is afgesproken.

De ene week staat het kasteel bij mij thuis, en de
andere week bij jou.

Zeg maar tegen je zussen dat ik voor de muziek
zorg.'

Hij loopt van Nils weg, het schoolplein af.

'Ga je niet met mij mee?' schreeuwt Nils.

'Ik ga thuis iets halen, dan kom ik naar je toe!'
schreeuwt Jan terug.

Hij doet geheimzinnig.

Zonder verder nog iets uit te leggen rent hij de hoek
om.

Langzaam loopt Nils naar huis.

Er staan een paar kinderen bij hem voor de deur.

Ze kijken naar een meisje op een fiets met maar één
wiel.

Het meisje rijdt wiebelend over de stoep.

Ze houdt haar armen wijd gespreid om haar

evenwicht te bewaren.

'Kijk, Nils!' schreeuwt ze.

Het is Emma.

Ze fietst naar de lantaarnpaal.

Ze grijpt hem vast, fietst er keurig omheen en komt terug.

Vlak naast Nils remt ze.

Ze springt van de fiets.

De kinderen klappen.

'Weet jij al wat jij gaat doen?' vraagt ze hijgend.

'Ja,' zegt Nils.

'En Jan doet ook met ons mee.'

Een liedje op zijn kop

Om vijf uur gaat de bel.
Nils maakt de voordeur open.
Jan staat op de stoep.
Stomverbaasd staart Nils hem aan.
Jan heeft een hoed op met een veer.
Er zit een pluche aap op zijn schouder.
Om zijn nek hangt een draaiorgeltje van karton.
Het is prachtig beschilderd.
Jan draait aan een zwengeltje aan de zijkant van het
orgeltje.
Er komt echte draaiorgelmuziek uit.
'Wat zeg je daarvan!' roept Jan.
Zijn ogen schitteren van plezier.
Achter Nils gaat de deur van de huiskamer open.
Emma, Gittie en mam komen de gang in.
Ze trekken Jan naar binnen en praten en lachen door
elkaar.
'Hoe kom je daar nou aan?' roept Gittie.
'Van mijn vader!' zegt Jan.
'Dit heeft hij gemaakt toen mijn opa en oma
vijfendertig jaar getrouwd waren.
Toen hadden we feest, weten jullie nog?'
'Dit moet Noah zien,' zegt mam.
Ze trekt Jan aan zijn arm de kamer in.
Noah weet niet wat hij ziet.
Het is maar goed dat hij vastzit in zijn tuig.

Anders was hij van enthousiasme uit zijn stoel
gevallen.
Plotseling houdt de muziek op.
Jan draait nog even aan de zwengel, maar het blijft
stil.
'O, even het cassettebandje omdraaien,' zegt hij.
Hij morrelt aan de voorkant van het kartonnen
orgeltje.
Het orgeltje klapt open.
Er zit een cassetterecorder in.
Jan draait het bandje om en klapt het orgeltje dicht.
De muziek begint weer.
Noah schreeuwt en zwaait met zijn armen.
Gittie en Emma klappen in hun handen.
'Fantastisch!' roept mam.
'Het is net echt.
Ga je dit mee naar school nemen of zo?
Hebben jullie een schoolfeest?'
Het is ineens stil.
Jan klapt het orgeltje weer open en zet de muziek uit.
Met een plof gaat hij op een keukenstoel zitten.
'Nou eh,' begint Nils.
'We gaan een voorstelling geven,' zegt Gittie.
'Op straat,' legt Emma uit.
'Het was mijn idee,' zegt Nils.
'Om geld te verdienen voor het legokasteel.'
'Voor oorbellen!' zegt Gittie.
'Voor stiften,' zegt Emma.

Mam gaat ook zitten.

Ze kijkt van de een naar de ander.

'Wacht eens even,' zegt ze.

'Begrijp ik het goed?

Jullie willen een voorstelling geven op straat?

En dan geld ophalen?

Ben jij daarom ineens zo hard aan het oefenen op die fiets met één wiel?'

Emma knikt.

'Mag het, mam?' vraagt Nils.

'Ja toch?' zegt Emma.

'Toe mam?' smeekt Gittie.

'Ja, Nils z'n moeder?' vraagt Jan.

'Dus jij gaat op de fiets,' zegt mam.

Ze kijkt naar Emma.

'En Jan gaat met zijn orgeltje.'

'En ik ga skeeleren, met mijn diabolo!' zegt Gittie.

Ze kijken allemaal naar Nils.

'En jij dan?' vraagt mam.

'Ja, wat ga jij eigenlijk doen?' vragen Emma en Gittie tegelijk.

Jan begint te lachen.

'Nils heeft pas een mooie kunst,' zegt hij.

'Ik laat het wel zien,' zegt Nils.

Hij rent de trap op naar zijn kamer.

Op zijn tafel ligt een oude pet van zijn opa klaar.

En een kartonnen bordje.

Daar heeft hij vanmiddag aan gewerkt.

'Voor twee kwartjes een liedje op zijn kop!'
Dat heeft hij erop geschilderd.
Aan het bord zit een touwtje vast.
Hij rent de trap af met zijn spullen.
'Opgelet!' zegt hij beneden in de keuken.
Ze kijken hoe hij een kussentje voor de deur op de
grond legt.
En voor het kussentje legt hij de pet neer.
Emma en Gittie giechelen.
Mam heeft haar wenkbrauwen hoog opgetrokken.
Ze kijkt vreselijk nieuwsgierig.
'Tet-tetteretet!' kondigt Nils aan.
En hij maakt een prachtige handstand tegen de deur.
Langzaam zakt hij met zijn hoofd op het kussentje.
'Gittie, wil je even dat bordje aan mijn voet
hangen?' vraagt hij.
Ze moeten lachen om zijn benauwde stem.
Gittie hangt het bordje aan zijn schoen.
Mam leest wat erop staat en begint te schateren.
'Zing dan!' zegt ze.
'Eerst twee kwartjes,' kreunt Nils.
Mams portemonnee ligt op het aanrecht.
Ze pakt er twee kwartjes uit en mikt ze in de pet.
'Een, twee, drie, vier, hoedje van, hoedje van.
Een, twee, drie, vier, hoedje van papier...' zingt Nils
gesmoord.
Het liedje gaat nog verder, maar hij houdt maar op
met zingen.

Ze horen hem toch niet meer, zo moeten ze lachen.
Langzaam laat hij zich terugzakken op zijn voeten.
'Nou?' zegt hij als ze zijn uitgelachen.
Mam veegt lachtranen uit haar ogen.
Ze schudt haar hoofd.
'We vragen het nog aan papa,' zegt ze.

Plannen maken

Het mag van pap.
'Maar ik blijf erbij,' zegt pap, 'ik ga wel op een
terrasje zitten waar ik jullie goed kan zien.
En ik neem een boek mee.'
'Waarom moet jij erbij zijn?' vraagt Gittie een beetje
boos.
'Wij kunnen heus wel voor onszelf zorgen, hoor.'
'Nee,' zegt pap, 'geen sprake van.
Er lopen allerlei figuren op straat.
Niet iedereen is even aardig.
Misschien zijn erbij die jullie geld willen pikken.
Of die gewoon vervelend doen.
Grote kinderen of rare grote mensen.
En dan ben ik erbij.
Maar ik beloof dat ik me verder nergens mee zal
bemoeien.'
Aan nare mensen hadden Nils, Emma en Gittie nog
niet gedacht.
Dan kan pap maar beter meegaan.
'Dan verkoop jij ze een dreun, hè pap!' zegt Nils.
Hij klimt bij pap op schoot.
Pap schiet in de lach.
'Zo'n vaart zal het niet lopen,' zegt hij.
De telefoon gaat.
Gittie neemt hem op.
'Het is Jan, voor jou, Nils,' roept ze.

Nils glijdt van paps schoot en neemt de telefoon van haar aan.

'Hoi,' zegt hij.

'Het legokasteel is in de aanbieding!' schreeuwt Jan in zijn oor.

'Twee weken lang, dat staat in de krant.

Daarna is het weer de oude prijs.

Dus we moeten er snel bij zijn!'

Jan schreeuwt zo hard dat de anderen hem ook hebben verstaan.

Ze kijken elkaar aan.

'Volgende week zaterdag, dan,' zegt pap.

Hij kijkt mam vragend aan.

Mam knikt dat het goed is.

'We mogen volgende week zaterdag,' zegt Nils in de telefoon.

'En mijn vader gaat mee.'

'Doet hij ook een kunst?' vraagt Jan verbaasd.

Nils schiet in de lach.

'Ja, hij gaat op een stoel zitten met een boek.'

'Dat kan toch iedereen!' zegt Jan verontwaardigd.

'Nee, joh, hij houdt ons alleen maar in de gaten,' zegt Nils.

'O, wacht even,' zegt Jan.

'Mijn moeder wil je vader nog even spreken.'

Nils geeft de telefoon aan pap.

Pap praat nog even met Jans moeder.

Dan is het rond.

Volgende week zaterdag dus.
'We moeten oefenen,' roept Gittie.
'Kom op, jongens!'
Ze rennen de kamer uit.
Ze hebben nog acht dagen om te oefenen.

Nils schrijft namen van liedjes op in een schrift.
Hij kan niet elke keer hetzelfde liedje zingen.
Dus hij moet veel liedjes oefenen.
Ze gaan ook schminken.
Jan krijgt een stoppelbaard en rimpels bij zijn ogen.
Gittie en Emma schminken vlindergezichten.
Nils wil als clown worden geschminkt.
Want clowns doen gek, dus dan wordt hij niet
uitgelachen.
Ze oefenen en oefenen.
Emma kan nu al fietsend Gitties diabolo opvangen.
En Gittie kan echt dansen op haar skeelers.
Ze heeft gekleurde linten aan een stok gebonden.
Die trekt ze flapperend achter zich aan.
Het ziet er prachtig uit.
Jan zal rondgaan met Nils' pet.
Ze zijn vreselijk benieuwd hoeveel ze zullen
verdienen.
En ze weten nog niet precies waar de beste plek is
voor de voorstelling.
Het plein is erg groot.
Daar lopen de mensen misschien gewoon langs

in de verte.

Bij het station staan altijd al artiesten.

Daar vallen ze niet genoeg op.

Bij het ziekenhuis is een klein pleintje.

Maar pap vindt dat geen goed idee.

'Mensen die bij zieken op bezoek gaan, hebben iets anders aan hun hoofd,' zegt hij.

'Die hebben geen zin in een voorstelling.'

'Juist wel, daar worden ze vrolijk van,' moppert Gittie.

'Bij het eetcafé aan de markt is een groot terras,' zegt pap.

'Op het stuk straat langs het water kunnen jullie je voorstelling geven.

Er komt daar geen verkeer.

De mensen zitten er rustig hun koffie te drinken.

Ze kunnen kijken en iets geven als ze dat willen.

Vaak hebben ze kinderen bij zich.

En die kinderen vinden jullie voorstelling vast leuk.

De mensen hebben daar geen haast.

En niemand hoeft erlangs.

Bovendien hebben ze daar goeie stoelen en lekkere koffie.

En dat is belangrijk voor mij.'

De vrachtwagen

Ze hebben alles zo goed afgesproken.
En dan gaat er altijd toch iets mis.
Dat zul je net zien.
De zon schijnt en het is lekker weer.
Daar ligt het niet aan.
Maar er staat een vrachtwagen langs het water.
Precies op hun plekje.
En de bestuurder is nergens te vinden.
Het terras loopt vol.
Daar staan ze dan.
Mam en Noah zouden om elf uur komen kijken.
Want mam gaat op zaterdag altijd zwemmen met
Noah.
Ze hebben hier afgesproken.
Als ze nu ergens anders heen gaan, weet mam niet
waar ze zijn.
En Noah mag hun voorstelling niet missen!
Ze kijken elkaar aan.
Pap was vergeten zijn boek mee te nemen.
Hij had op de hoek geparkeerd en alle spullen uit de
kofferbak gehaald.
'Beginnen jullie maar vast,' had hij toen gezegd.
'Ik koop even een krant en dan kom ik op het terras
zitten.
Succes, en tot zo.'
Maar pap is er nog niet.

Kwaad geeft Nils een schop tegen het wiel van de vrachtwagen.

Mensen staren hen aan.

Je ziet niet elke dag twee vlindermeisjes, een clown en een orgelman die kwaad kijken.

'Ik ga vragen of die vrachtwagen bij het eetcafé hoort,' zegt Gittie.

Ze loopt naar binnen.

Even later komt ze weer naar buiten.

De bazin van het café loopt met haar mee.

'Die vrachtwagen mag daar helemaal niet staan,' zegt ze.

'Ik heb de politie al gebeld.

Ze komen er aan, zeiden ze.'

Ze kijkt naar hun gezichten.

'En wilden jullie hier jullie voorstelling geven?'

Ze knikken.

Nils huilt bijna; hij bijt op zijn lip.

De vrouw ziet het.

Ze kijkt rond en denkt na.

Ze aait Nils even over zijn haar.

'Ik weet wat,' zegt ze.

Ze gaat naar binnen en komt weer naar buiten.

Alle serveersters en obers lopen met haar mee.

Ze beginnen de tafels en stoelen te verzetten.

Ze sjouwen en lachen.

'Wij willen wel eens een voorstelling zien!' roept een ober.

En hij knipoogt naar de kinderen.
Iedereen moet opstaan.
Mensen houden hun appeltaart en koffiekopje vast.
Ze kijken verbaasd, maar niet boos.
Als iedereen weer zit, is er tussen de tafels een
mooie cirkel.
Precies zoals in een circus.
De bazin van het café komt naar Nils toe.
'Nou, kom op, waar wachten jullie op!' zegt ze.
En ze duwt hem de kring in.
Jan zet zijn muziek aan.
IJverig draait hij aan de zwengel van zijn orgeltje.
Emma klimt op haar eenwielfiets en fietst rond.
Ze spreidt haar armen uit en hoog en weer uit.
Nils gaat in het midden van de cirkel staan.
Hij legt zijn kussentje neer en houdt zijn bordje
omhoog.
De mensen lezen wat erop staat.
Ze moeten erom lachen.
Een klein meisje krijgt twee kwartjes.
Ze gooit ze in de pet.
Jan komt aangelopen om Nils te helpen.
Nils maakt zijn handstand tegen Jans handen.
Netjes zakt hij met zijn hoofd op het kussentje.
Jan hangt het bordje aan zijn voet.
'Poesje mauwww!' zingt Nils voor het meisje.
Pap komt aangelopen met zijn krant en kijkt
verbaasd naar de kring.

Gitties diabolo suist door de lucht.
De voorstelling is begonnen.

Dan staan er plotseling twee agenten.
'We moeten de voorstelling afbreken,' zeggen ze
streng.
'Even opzij, mensen, u naar links, en hier naar
rechts...'
Ze beginnen stoelen opzij te zetten.
Pap staat op.
In zijn ene hand houdt hij zijn koffiekopje en in de
andere zijn krant.
'Eh, meneer,' zegt hij tegen een van de agenten.
De agent hoort hem niet eens.
Hij gaat door met het verplaatsen van stoelen.
Zo nu en dan zegt hij iets tegen de andere agent.
'Laten we maar even afwachten,' zegt pap tegen de
kinderen.
Ze staan om hem heen.
'Het ging net zo goed!
We kregen niet eens de tijd om met de pet rond te
gaan,' zegt Gittie teleurgesteld.
'Mogen we nou niet verder optreden?' vraagt Emma.
De bazin van het café komt naar hen toe.
Ze knikt pap toe.
'Bent u hun vader?'
'Ja,' zegt pap.
'Ze gaan proberen om die vrachtwagen weg te

rijden,' zegt ze.

'Het portier is open, maar ze moeten hem natuurlijk wel aan de gang krijgen.'

'Aan de gang krijgen?' vraagt Emma.

'Duurt dat lang?'

'Ik hoop van niet,' zegt de vrouw.

'Want nu kan hier niemand koffiedrinken, en dat is slecht voor mijn zaak.'

Een van de agenten is in de vrachtauto geklommen.

De andere agent praat over de radio.

'Kan dat, pap, een auto starten als je geen sleuteltje hebt?' vraagt Nils.

'Ik heb het wel eens op de tv gezien,' zegt pap.

'In een film kunnen boeven dat.'

'Of als je in een garage werkt,' zegt Jan.

'Want die mensen weten alles van auto's af.'

'En die hebben het misschien weer aan de agenten geleerd,' zegt Nils.

'Laten we het hopen,' zegt pap.

Daarom niet

Plotseling klinkt er hard geronk.
Een dot zwarte rook schiet uit de uitlaat van de
vrachtwagen.
De mensen op het terras klappen.
'Weg met dat ding!' roept iemand.
En iemand anders: 'Wij willen koffie!'
'Nog even geduld, mensen,' zegt de agent.
Hij zwaait met zijn armen.
De andere agent rijdt de vrachtwagen achteruit,
tussen de stoelen en tafeltjes door.
Dat valt niet mee, want iedereen bemoeit zich ermee.
Eindelijk kan hij met de vrachtwagen wegrijden.
Zijn collega helpt om de stoelen en tafeltjes weer
terug te zetten.
Dan komt hij naar pap.
'Een voorstelling?' zegt hij vragend.
'Een aardigheidje van de kinderen,' mompelt pap.
'U weet dat dit niet zomaar kan?' zegt de agent.
Verschrikt kijken ze allevier naar pap.
'Eh, 't is maar een lolletje,' zegt pap zacht.
'Zo jongens, een voorstelling voor een goed doel?'
vraagt de agent.
'We sparen voor het legokasteel,' zegt Jan.
'Het is deze week nog in de aanbieding.'
'En wij willen stiften en oorbellen,' zegt Emma.
Pap krijgt een vuurrood hoofd.

Hij kucht en neemt zijn laatste slokje koffie.

De agent schiet in de lach.

'Jaja,' zegt hij.

'Dus jullie werken voor je geld?'

De kinderen knikken, ze lachen weer.

De agent lacht ten slotte ook.

'Over drie weken is het jaarmarkt,' zegt de agent.

'Dan mag je een voorstelling geven.

En op de geraniummarkt, en op Koninginnedag.

En dat moet maar genoeg zijn.

Want straks zijn er overal in de stad kinderen die

kunstjes doen.

En dat kan niet.'

'Waarom niet?' vraagt Emma.

'Daarom niet!' zegt de agent streng.

'O,' zegt Emma bedremmeld.

Pap stoot Emma aan.

'Eh, mogen ze voor deze keer hun voorstelling

afmaken, meneer?' vraagt hij.

'Ze hebben dagenlang geoefend, ziet u.'

De agent krabt onder zijn pet.

De bazin van het café komt er aan met een kop

koffie.

'Alstublieft,' zegt ze tegen de agent.

De agent glimlacht naar haar.

'Toe, laat ze voor één keertje,' zegt de bazin.

'Goed, laat die kunsten van jullie dan maar eens

zien,' zegt de agent.

Hij neemt een klein slokje van zijn koffie en
knipoogt naar pap.
Ze gaan weer aan het werk.
Nils staat al op zijn kop.
Iemand gooit twee kwartjes in de pet.
'Groen is gras, groen is gras...' zingt Nils.
Hij ziet mam aankomen met Noah in zijn rolstoel.
En daar staat warempel meester Bernhard ook.
Nils wil wel zwaaien, maar dan valt hij om.
Dus hij lacht maar flink, ondersteboven.
Gittie gooit haar diabolo en Emma vangt hem op.
Noah schreeuwt.
Hij vindt het prachtig.
De mensen op het terras klappen.
Mam, meester Bernhard, pap en de agent ook.
Kleine kinderen komen geld in de pet gooien.
Nils zingt en zingt.
Zo nu en dan moet hij even overeind staan om op
adem te komen.
Dan helpt hij gauw om Emma en Gittie spullen aan
te geven.
Hij hoort meester Bernhard tegen pap zeggen: '...op
zijn kop bij de wc's.'
Pap en de agent lachen.
De agent heeft zijn koffie op en zet het kopje weg.
Hij loopt naar Jan.
'Jullie mogen nog een halfuurtje,' zegt hij.
'En dan is de voorstelling afgelopen, afgesproken?'

Jan knikt ernstig.
'Ja meneer,' zegt hij.

Ze mogen zelf naar de speelgoedzaak met hun geld.
Gittie moet het bij zich houden.
Het zit in een stevig klein tasje dat aan een koordje
om haar nek hangt.
Het is net genoeg voor het legokasteel.
Maar dan is er niet meer genoeg voor stiften en
oorbellen.
Pap en mam zitten nog met Noah op het terras.
Ze hadden geen zin om mee te gaan naar de winkel.
Ze wisten al wat er zou gebeuren: ruzie!

In de winkel gaat Emma meteen naar de stiften.
Gittie, Nils en Jan staan bij het legokasteel.
Ze schreeuwen tegen elkaar.
Gittie houdt het tasje vast en Nils trekt eraan.
Jan loopt weg.
'Kom eens kijken!' roept hij ineens.
'Hier, bij de verkleedkleren!'
Met boze hoofden lopen ze naar hem toe.
'Hier hangt een echt clownspak!' zegt Jan.
'En hier circuspakken voor meisjes.'
De circuspakken zijn prachtig.
Ze zitten vol zilveren glitters.
Voor een orgelman hangt er ook iets.
Een soort gekke zwerversjas vol grappen.

In de borstzak zit een bloem die water spuit.
Op de voering zitten enge gezichten.
En uit de jaszakken kijken malle poppetjes.
Het is een goeie jas voor een orgelman.
Ze kijken naar elkaar.
'Over drie weken is het jaarmarkt,' zegt Jan.
Emma en Gittie grijpen de glinsterpakken.
Ze houden ze voor zich en bekijken elkaar.
Ze zijn de stiften en de oorbellen vergeten.
'Dan vragen we of er nog meer kinderen meedoen!'
zegt Nils tegen Jan.
'We hebben toch al hartstikke veel lego.'
Hij ziet een Robin-Hoodmuts.
Een mooie groene met een veer.
'Kunnen we deze ook nog betalen?' vraagt hij.

Ze stormen naar pap, mam en Noah.
Die lachen als ze de verkleedkleren zien.
'Waar is dat legokasteel nou?' vragen ze.
'En die viltstiften?'
'We geven nog een voorstelling,' schreeuwt Emma.
'We gaan nieuwe kunsten oefenen.'
Nils trekt de Robin-Hoodmuts uit de tas.
Hij zet hem stevig op Noah's hoofd.
'Het is een Robin-Hoodmuts,' zegt hij tegen Noah.
'Vind je hem mooi?'
Noah schreeuwt en zwaait met zijn armen.
'Ik wil naar huis om te oefenen!' roept Gittie.

'Eerst even rustig zitten,' zeggen pap en mam.
'Nou, vooruit, heel even dan,' zegt Nils.

Spetter is er ook voor kinderen van 6 en 7 jaar.

STICHTING NEDERLANDSE
KINDERJURY
2000

Boeken met dit vignet zijn op niveaubepaling geregistreerd en gecontroleerd door KPC Onderwijs Adviseurs te 's-Hertogenbosch.

5 6 7 / 07 06 05

ISBN 90.276.4233.8 • NUGI 220

Vormgeving: Rob Galema (studio Zwijsen)
Logo Spetter en schutbladen: Joyce van Oorschot

© 1999 Tekst: Selma Noort
Illustraties: Camila Fialkowski
Uitgeverij Zwijsen Algemeen B.V. Tilburg

Voor België:
Uitgeverij Infoboek N.V. Meerhout
D/1999/1919/58